THE FIRST THOUSAND WORDS IN FRENCH

First published in 1979
Usborne Publishing Ltd
Usborne House, 83-85 Saffron Hill
London EC1N 8RT, England.
Copyright © 1989 (limp), 1979
Usborne Publishing Ltd.

The name Usborne and the device ⊕ are
Trade Marks of Usborne Publishing Ltd.

Printed in Great Britain

About this book

This book is for everyone who is starting to learn French. By looking at the pictures, it will be easy to read and learn the words underneath each one. And seeing them in a scene where you would expect to find them will help you to remember them.

Masculine and feminine words

When you look at the French words, you will see that most of them have **le, la, l'** or **les**, which means 'the', in front of them. When learning French, it is a good idea to learn the **le, la** or **l'** with each word. This is because all words in French, like table and bed, as well as woman and man, are feminine or masculine. When you see **la**, the word is feminine. Le means the word is masculine. If the **le** or **la** comes before a word which begins with an **a, e, i, o, u** or **h**, then the **le** or **la** usually becomes **l'**.
Les can be either masculine or feminine but comes before words that are plural, that is, more than one, such as tables or beds.

Looking at the words

Some French words also have accents on the letters. These change the sound of the word. When the accent is on the last letter, that letter is then said. In French the last letter is not usually pronounced.

Saying the words

At the back of the book is a guide to pronouncing all the words on the pictures. This is to help you say all the words. But there are some sounds in French which are quite different from any sound in English. To say them as a French person would say them, you have to hear them spoken. Listen very carefully and then try to say them like that yourself. But if you say them as they are written in the pronunciation guide, a French person will understand you—even if your French accent is not quite perfect.

Spot the duck
There is a duck on every double-page picture. Can you find it?

THE FIRST THOUSAND WORDS IN FRENCH

With Easy Pronunciation Guide

Heather Amery and Katherine Folliot
Illustrated by Stephen Cartwright

Pronunciation Guide by Anne Becker

A la maison

la baignoire

le savon

le robinet

les bulles de savon

la brosse à dents

l'eau

la serviette

l'éponge

la douche

le dentifrice

le lavabo

les toilettes

la bibliothèque

la table

4 la radio

le radiateur

la laine

le papier peint

la pendule

le tapis

le coussin

le tourne-disques

la lampe

le lit

la commode

la brosse

l'oreiller

l'armoire

la descente de lit

les tableaux

l'édredon

les vêtements

le peigne

le miroir

le drap

les escaliers

les porte-manteaux

l'araignée

la mouche

la toile d'araignée

la chaise   les lettres   le téléphone

le journal

La cuisine

le frigidaire

les verres

la pendule

les cuillères

le tablier

l'interrupteur

les casseroles

les soucoupes

le fer à repasser

la bouilloire

la serpillière

6 l'aspirateur

l'évier

les fourchettes

la porte

le chiffon

le tabouret

les couteaux

la ci

la cuisinière

les carreaux

le tiroir

les ordures

la poêle

la machine à laver

la pelle à poussière

les assiettes

la planche à repasser

le paquet de lessive

la brosse

la table

l'ampoule électrique

les tasses

les petites cuillères

les allumettes

la clé

le balai

les bols

le placard

Dans le jardin

la brouette

la ruche

l'escargot

les briques

la poubelle

la chenille

la pelle

la fourmi

l'oiseau

la gouttière

l'échelle

les graines

8 l'appentis

les fleurs

le ver de terre

l'arroseuse à jet tournant

l'os

la haie

la truelle

la tondeuse

le chemin

l'arbre

la fourche

les feuilles

le balai

le tuyau d'arrosage

la binette

la fumée

l'abeille

le râteau

la voiture d'enfant

la guêpe

l'herbe

les plantes

le feu de joie

les bâtons

le nid

la serre

9

L'atelier

le papier
de verre

le vilebrequin

les boulons

les punaises

la scie

la sciure

le marteau

la lime

la
boîte
à outils

le tourne-vis

la planche

les pots de peinture

les copeaux

le canif

10

le tonneau

la hache

les écrous

le mètre

les vis

l'échelle

les clous

l'étau

le bois

l'établi

les pots

le bois

le rabot

11

La rue

le garage

l'ambulance

la bicyclette

le trou

le café

le trottoir

le magasin

les feux rouges

la cheminée

le camion

les clous

les marches

le monsieur

l'hôtel

la voiture de police

le rouleau compresseur

la perceuse

l'école

le terrain de jeux

les appartement

12

la statue

l'autobus

le taxi

la remorque

les tuyaux

le toit

le marché

l'usine

l'antenne de télévision

la camionnette

l'agent de police

la voiture de pompiers

la maison

le bull-dozer

l'église

le cinéma

la voiture

la moto

le chauffeur

le réverbère

la dame

13

Le magasin de jouets

le piano

les cartes à jouer

la maison de poupée

le pipeau

le robot

l'harmonica

les billes

le canon

l'appareil de photo

les perles

le sifflet

la fusée

les dés

les poupées

les astronautes

le cheval à bascule

la grue

le rouleau compresseur

les cubes

les raquettes

la guitare

la trousse à outils

14

la canne à pêche

la boîte de peintures

la pâte à modeler

le parachute

la machine à ecrire

le bateau à voile

la cible

le tank

les soldats de plomb

le fort

la tirelire

le train électrique

les marionnettes

les tambours

les ballons

la voiture de course

les masques

la trompette

l'arc et les flèches

le fusil

le sous-marin

15

Le jardin public

le ballon

la ficelle

le sable

le pique-nique

le cerf-volant

la glace

le chien

les balançoires

la barrière

le chemin

les têtards

le toboggan

la grenouille

le buisson

les patins à roulettes

les enfants

la trottinette

les cygnes

le bébé

la terre

la clôture

la poussette

les pigeons

la balançoire

les fleurs

la flaque

les canetons

la corde à sauter

le bateau

a platebande

le banc

le lac

la laisse

les canards

les arbres

17

Au zoo

le panda

la chauve-souris

le pingouin

l'hippopotame

la patte

le kangourou

l'aile

l'aigle

les plumes

l'autruche

le loup

le petit singe

le pélican

la girafe

le gorille

l'ours

le castor

le lion

les lionceaux

le crocodile

les bois

le cerf

le chameau

le phoque

les singes

l'ours blanc

l'éléphant

la trompe

le zèbre

le buffle

la queue

le rhinocéros

le requin

les chèvres

le dauphin

le léopard

la baleine

le tigre

19

La gare

les rails

le chef de train

la locomotive

les tampons

le wagon-restaurant

les wagons

le mécanicien

le train de marchandises

le quai

les feux de signalisation

le contrôleur des billets

les valises

Le garage

les phares

le bidon à huile

le moteur

les accus

le camion-citerne

L'aérodrome

l'hôtesse
de l'air

l'hélicoptère

la piste
d'atterrissage

l'avion

la tour
de contrôle

le pilote

le lave-voiture

le coffre

la pompe à air

la pompe
à essence

roue   la clef   le pneu   le capot   la voiture de dépannage   l'huile   21

La campagne

le moulin à vent

la forêt

la hutte

les lapins

le papillon de nuit

le renard

le cours d'eau

le poteau indicateur

les fleurs

l'écureuil

le papillon

les oiseaux

le blaireau

la colline

les renardeaux

le tunnel

le village

le hibou

22

le ballon

la caravane

les rondins

les tentes

la route

le pont

la péniche

la cascade

la montagne

les pierres

la taupe

l'écluse

le pêcheur

les rochers

le canal

le train

la rivière

La ferme

la mare

les moutons

la meule de foin

les canards

la remorque

les agneaux

la palissade

le grenier

la porcherie

le taureau

la boue

les porcelets

la grange

l'écurie

le fermier

la charrette

le poney

le tracteur

la selle

les oies

les ballots de paille

les sacs de blé

24

le camion

le verger

le poulailler

l'étable

la vache

les canetons

le coq

le veau

la charrue

le chien de berger

le berger

les dindons

l'épouvantail

la ferme

les cochons

les poules

les poussins

le cheval

les oisons

le champ

le foin

le blé

25

le bateau
à voile

la mer

la rame

le phare

la pelle

le seau

l'étoile
de mer

le château
de sable

la mouette

le drapeau

le crabe

le marin

le chapeau
de paille

la bouée

Le bord de la mer

 l'île

le port

le transat

 le hors-bord

 le ski nautique

les vagues

le coquillage

la falaise

le navire

le canoë

les galets

le ballon

les rochers

les palmes

les algues

le filet

la pagaie

le bateau
de pêche

e parasol

l'âne

le pétrolier

la barque

le maillot
de bain

la corde

27

A l'école

l'aquarium

le badge

le plafond

les crayons

les garçons

le calendrier

le mur

la corbeille à papier

les ciseaux

4+2 =
3-2 =

les opérations

la règle

le pupitre

les photographies

la boîte de peintures

le papier

les pinceaux

la cloche

a b c d e f g
h i j k l m n o
p q r s t u v
w x y z

l'alphabet

les boîtes

les livres

a b c d e f g
h i j k l m n o
p q r s t u v
w x y z

l'image

les porte-plumes

la craie

le chevalet

le plancher

les plantes

les filles

la mappemonde

la colle

la poignée

le carnet

les punaises

le dessin

la carte

les crayons de couleur

la lampe

le store

le tableau noir

la gomme

l'institutrice

29

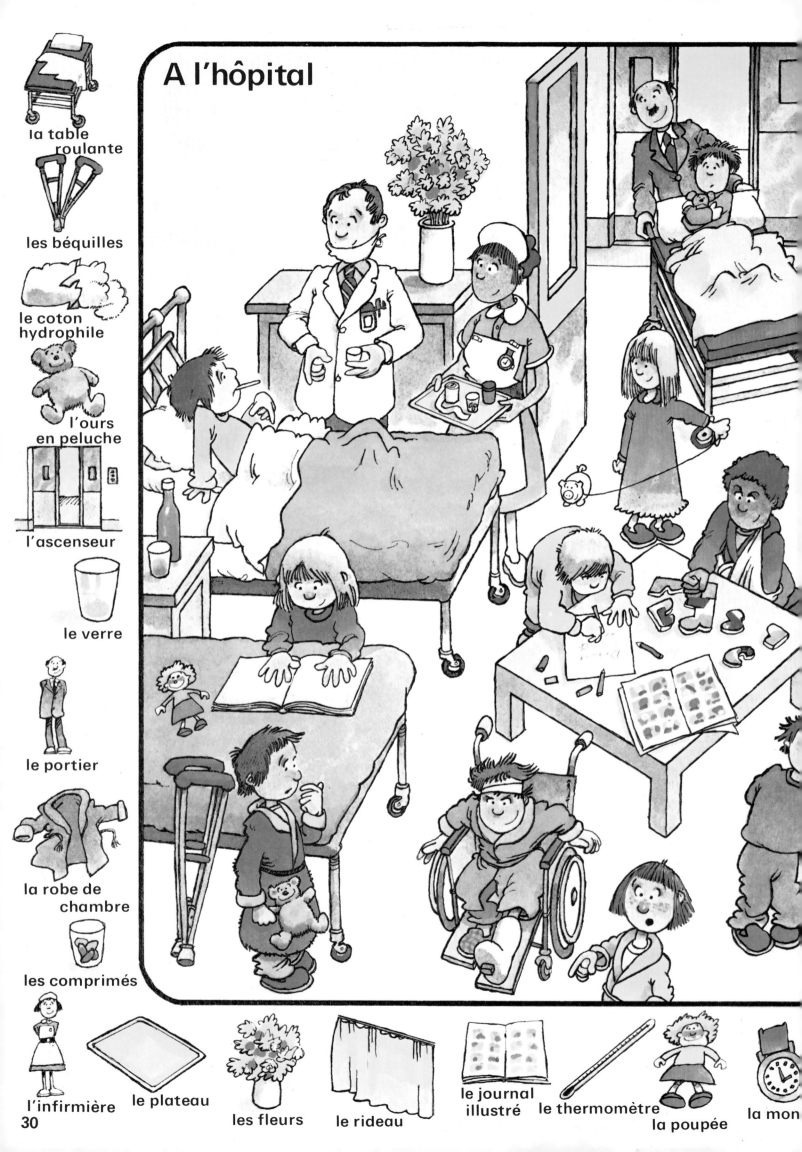

A l'hôpital

la table roulante

les béquilles

le coton hydrophile

l'ours en peluche

l'ascenseur

le verre

le portier

la robe de chambre

les comprimés

l'infirmière

le plateau

les fleurs

le rideau

le journal illustré

le thermomètre

la poupée

la mon

la table de nuit

le médicament

les pantoufles

le pyjama

la seringue

le jus de fruits

la chemise de nuit

le placard

la télévision

le lit

la feuille de température

le plâtre

le pansement

l'oeil au beurre noir

le fauteuil roulant

le puzzle

le docteur

Le goûter d'enfants

les ballons

les feux d'artifice

les chapeaux en papier

la charlotte russe

les sandwichs

la lune

les bonbons

les biscuits

la nappe

les disques

le gâteau

le chocolat

les petits pains

le lampion

les jouets

le ruban

les bougies

les pailles

les étoiles

les paquets

le gâteau
à la crème

les guirlandes de papier

les cadeaux

la fenêtre

le pouding

les feux d'artifice

les déguisements

33

Le magasin

les bananes
le pamplemousse
la laitue
les raisins
le chou-fleur
les pommes
les carottes
les poireaux
la citrouille
le concombre
les citrons
le céleri
les haricots
les cerises
les abricots
le chou
le melon

FROMAGE

VIANDE

FRUITS

FRUITS

LEGUMES

les champignons
les tomates
les petits pois
les prunes
les framboises
les oignons
les pêches
les ananas
les pommes de terre
les épinards

34

POISSON

PAIN

EPICERIE

les boîtes de conserve

le pain

le beurre

le fromage

le poulet

les oeufs

le poisson

la farine

les bocaux

la viande

les saucisses

le yaourt

le panier

les bouteilles

les choux de Bruxelles

les oranges

les fraises

les sacs

la caisse

la balance

l'argent

le porte-monnaie

le chariot

le sac à main

35

La nourriture

le petit déjeuner

le déjeuner

le café

le poulet

la confi▸

les oeufs sur le plat

le lait

le miel

la crème

le chocolat chaud

les côtelettes

la bière

le jambon

le sel

le poivre

36

le dîner

le thé

le jus de fruit

les noix

la viande

le sucre

la soupe

l'omelette

la salade

le ragoût

les crêpes

les petits pains

le riz

le vin

les spaghetti

la sauce tomate

Moi

les cheveux

le sourcil

l'oeil

le nez

la joue

la bouche

les lèvres

les dents

la langue

le menton

le cou

les oreilles

la tête

la figure

les épaules

les bras

le coude

les mains

les doigts

les pouces

le dos

le derrière

la poitrine

le ventre

les genoux

les jambes

les pieds

les doigts de pied

le talon

Les vêtements

la culotte

le sous-vêtement

le pantalon

les jeans

le tee-shirt

la jupe

la chemise

la cravate

le short

les chaussettes

le tricot

le chandail

le gilet

les collants   le chemisier   la robe

les chaussures
de gymnastique

les chaussures

les sandales

les bottes

les gants

la veste

l'anorak

le manteau

le mouchoir

la casquette   le chapeau

la ceinture

les
boutons

les
boutonnières

les poches

la fermeture éclair

la boucle

les lacets

l'écharpe

39

Les gens

l'acteur

le cuisinier

la danseuse

le charpentier

l'homme-grenouille

l'astronaute

le chef d'orchestre

le clown

le fermier

le marchand

le soldat

l'agent de police

la chanteuse

le pilote de course

le mécanicien

le peintre

le pompier

le boucher

le facteur

le scaphandrier

le mécanicien

le peintre

l'alpiniste

le dentiste

le pilote

le juge

le gardien de zoo

le boulanger

La famille

le père
le mari

la mère
la femme

la fille
la soeur

le fils
le frère

la tante

l'oncle

le cousin

la grandmère

le grandpère

Action

sourire

porter

prendre un bain

penser

écrire

couper

ramper

construire

peindre

casser

lire

se laver les dents

écouter

tondre

tomber

boire

balayer

se laver

se cacher

pleurer

rire

danser

attraper

tricoter

être assis

grimper

aire des bulles

jouer

faire la cuisine

se bagarrer

dormir

sauter à la corde

ramasser

attendre

regarder

jeter

raconter

prendre

manger

coudre

tirer

chanter

sauter

creuser

gagner

courir

faire

être debout

acheter

marcher

pousser

Les contraires

sage

vilain

petit

grand

gros

maigr

moitié

tout

le haut

le bas

mou

dur

froid

chaud

premier

dernier

loin

près

peu

beaucoup

vide

plein

gauche

sale

propre

haut

bas

44

lent

rapide

facile

difficile

long

court

bon

mauvais

en haut

en bas

sur

sous

devant

derrière

mouillé

sec

sombre

lumineux

vivant

mort

ouvert

fermé

droite

vieux

neuf

dehors

dedans

Contes et légendes

le château

le dragon

le chevalier

le manche à balai

la sorcière

le pistolet

le géant

le canon

le pirate

le trésor

la baguette magique

le champignon

l'elfe

le nain

la fée

le puits magique

le prestidigitateur

le voleur

le désert

l'Indien

le shérif

le cow-boy

la diligence

le diable

la couronne

le page

la princesse

le prince

l'épée

la reine

le roi

le palais

l'ange

le dinosaure

la prison

les rennes

le traîneau

le Père Noël

le sorcier

le fantôme

le mariage

le marié

la mariée

les demoiselles d'honneur

le monstre

47

Animaux familiers

les lapins

le chat

le chien

le poisson rouge

les lézards

le perroquet

les grenouilles

le hérisson

les vers à soie

les perruches

le cochon d'Inde

les crapauds

les chiots

les pigeons

les souris

les serpents

les chatons

la tortue

48

Le temps

les nuages

le brouillard

la pluie

le gel

la neige

le soleil

l'arc en ciel

la foudre

la rosée

le vent

la brume

Les Saisons

le printemps

l'été

l'automne

l'hiver

49

Le sport

la boxe

le cyclisme

le base-ball

la natation

le football

la gymnastique

le saut en hauteur

le ski

les courses de voitures

le tennis

les courses de chevaux

le patinage

le tir

le cricket

les poids et haltères

le concours hippique

le moto-cross

l'équitation

la voile

le ping-pong

l'aviron

la lutte

le basket

le judo

Couleurs

noir

orangé

vert

rose

rouge

bleu

blanc

violet

jaune

marron

gris

Les formes

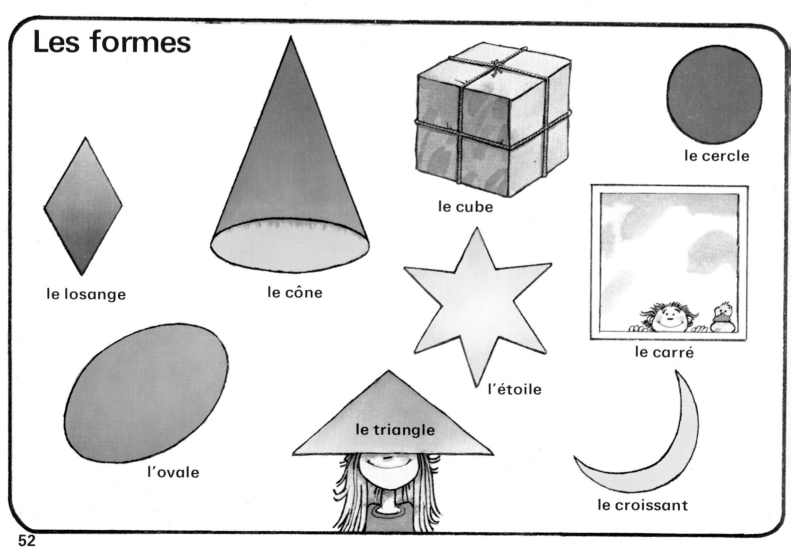

le losange

le cône

le cube

le cercle

le carré

l'étoile

l'ovale

le triangle

le croissant

Nombres

1	un
2	deux
3	trois
4	quatre
5	cinq
6	six
7	sept
8	huit
9	neuf
10	dix
11	onze
12	douze
13	treize
14	quatorze
15	quinze
16	seize
17	dix sept
18	dix huit
19	dix neuf
20	vingt

La foire

le manège

le paillasson

le toboggan géant

la grande ro[...]

les voitures tamponneuses

les montagnes russes

les anneaux

le pop-corn

la barbe à papa

le train-fantôme

le tir à la carabine

Le cirque

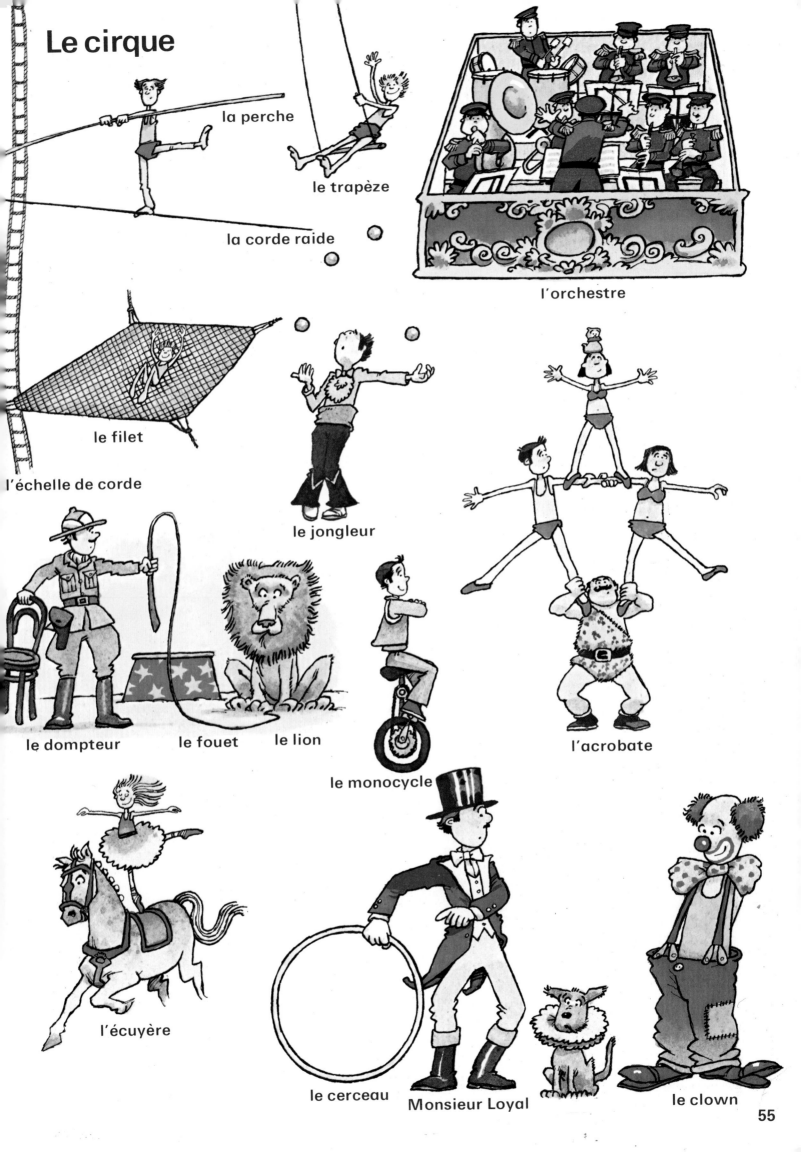

la perche

le trapèze

la corde raide

l'orchestre

le filet

l'échelle de corde

le jongleur

l'acrobate

le dompteur

le fouet

le lion

le monocycle

l'écuyère

le cerceau

Monsieur Loyal

le clown

In this list of useful words, the English word comes first, then there is the French translation, followed by the pronunciation of the French word in *italics*.

On the next page is the start of the alphabetical list of all the words in the pictures in this book. Here the French word comes first, then there is its pronunciation in *italics*, followed by the English translation.

There are some sounds in the French language which are quite different from any sounds in English. The pronunciation is a guide to help you say the French words correctly. They may look funny or strange. Just read them as if they are English words, except for these special rules:

g is said like g in game
j is said like s in treasure
r is made by a roll in the back of your mouth

and sounds a little like gargling. When there is an r in the pronunciation guide, it is always said like this, except when it is in brackets, like this (r).

(n) means that the n is not said but that vowel before it is nasalised. This means that you make the sound through your nose and your mouth at the same time. There are no sounds like this in English, so you have to hear someone say them before you can pronounce then correctly.

e(r) means that the e sounds like the e in the (not thee). The r is not said.

ew is a sound which we do not have in English. To make it, round your lips as if to say oo, then try and say ee.

a is said a little longer than a in cat but not as long as the a in car.

ay is like a in date.

More useful words These words (not in the pictures) cannot be illustrated.

after	après	a-pray
afternoon	après-midi	a-pray mee-dee
again	encore	a(n)-cor
all	tout	too
always	toujours	too-joor
and	et	ay
another	un autre	a(n)-no-tr
ask	demander	de(r)-ma(n)-day
to be	être	etr
because	parce que	pars-ke(r)
to bring	apporter	a-por-tay
but	mais	may
to call	appeler	a-play
to come	venir	ve(r)-near
day	le jour	le(r) joor
early	tôt	toe
end	la fin	la fa(n)
excuse me	excusez-moi	ex-coo-zay-mwa
far	loin	lwa(n)
to finish	finir	fee-near
for	pour	poor
friend	l'ami	la-mee
from	de	de(r)
to go	aller	a-lay
happy	content	co(n)-ta(n)
to have	avoir	a-vwar
he	il	eel
to help	aider	ay-day
her, his	sa, son	sa, so(n)
here	ici	ee-see
to hold	tenir	te(r)-near
to be hungry	avoir faim	a-vwar fam
I	je or moi	je(r), mwa
if	si	see
just	juste	joost
to keep	garder	gar-day
to know	savoir	sa-vwar
late	tard	tar
to leave	quitter	kee-tay
to learn	apprendre	a-pra(n)-dr
to like, to love	aimer	ay-may
to look	regarder	re(r)-gar-day
lot	beaucoup	bo-coo
me	moi	mwa
to meet	rencontrer	ra(n)-co(n)-tray
month	le mois	le(r) mwa
more	plus	plew
morning	le matin	le(r) ma-ta(n)
my	mon or ma	mo(n), ma
myself	moi-même	mwa-mem
name	le nom	le(r) no(m)
near	près	pre
never	jamais	ja-may
next	prochain	prosh-a(n)
night	la nuit	la nwee
no	non	no(n)
now	maintenant	ma(n)t-na(n)
of	de	de(r)
once	une fois	ewn fwa
our	notre	notr
please	s'il vous plaît	seel voo play
poor	pauvre	po-vr
pretty	joli	jol-ee
to put	mettre	met-tr
rich	riche	reesh
sad	triste	treest
to see	voir	vwar
to sell	vendre	va(n)-dr
she	elle	ell
to show	montrer	mo(n)-tray
soon	bientôt	bee-a(n)-toe
some	quelque	kell-ke(r)
sorry	pardon	par-do(n)
to stay	rester	ress-tay
thank you	merci	mare-see
that	que	ke(r)
then	alors	a-lor
there	là	la
to be thirsty	avoir soif	a-vwar swaf
this	ce or cette	se(r), set
time	le temps	le(r) ta(n)
to be tired	être fatigué	etr fa-tee-gay
today	aujourd'hui	o-joor-dwee
tonight	ce soir	se(r) swar
tomorrow	demain	de(r)-ma(n)
too	aussi	o-see
to try	essayer	ess-ay-ay
us	nous	noo
very	très	tray
to want	vouloir	voo-lwar
we	nous	noo
week	la semaine	la se(r)-men
when	quand	ka(n)
where	où	oo
who	qui	kee
with	avec	a-veck
year	l'année	la-nay
yes	oui	wee
yesterday	hier	ee-air
you	toi, tu or vous	twa, tew, voo

Index Words in the pictures

l'abeille (f)	la-bay	bee
l'abricot (m)	la-bree-co	apricot
les accus (m)	lay-za-cew	battery
acheter	ash-tay	to buy
l'acrobate (m or f)	lack-ro-bat	acrobat
l'acteur (m)	lack-ter	actor
l'aérodrome (m)	lair-od-rom	airport
l'agent de police (m)	la-ja(n) de(r) pleece	policeman
l'agneau (m)	lan-yo	lamb
l'aigle (m)	lay-gl	eagle
l'aile (f)	layl	wing
les algues (f)	lay zalg	seaweed
l'allumette (f)	la-cew-met	match
l'alphabet (m)	lal-fa-bay	alphabet
l'alpiniste (m or f)	lal-pee-neest	mountaineer
l'ambulance (f)	lam-bew-la(n)ce	ambulance
l'ampoule électrique (f)	la(n)-pool ay-leck-treek	bulb
l'ananas (m)	la-na-na	pineapple
l'âne (m)	lan	donkey
l'ange (m)	la(n)j	angel
l'animal (m)	la-nee-mal	animal
l'animal familier (m)	la-nee-mal fa-mee-lee-ay	pet
les anneaux (m)	lay za-no	hoop-la
l'anorak (m)	la-nor-ak	anorak
l'antenne de télévision (f)	la(n)-ten de(r) tay-lay-veez-yo(n)	aerial
l'appareil de photo (m)	la-pa-ray de(r) fo-toe	camera
l'appartement (m)	la-part-e(r)-ma(n)	flat
l'appentis (m)	la-pa(n)-tee	shed
l'aquarium (m)	la-kwa-ree-om	aquarium
l'araignée (f)	la-rayn-yay	spider
l'arbre (m)	lar-br	tree
l'arc et les flèches	lark ay lay flesh	bow (and arrow)
l'arc en ciel (m)	lark a(n) see-el	rainbow
l'argent (m)	lar-ja(n)	money
l'armoire (f)	lar-mwar	wardrobe
arrière	a-ree-air	back
l'arroseuse à jet tournant	la-roe-ze(r)z a jay toor-na(n)	sprinkler
l'ascenseur (m)	lass-a(n)-ser	lift
l'aspirateur (m)	lass-pee-ra-ter	vacuum cleaner
s'asseoir	sass-war	to sit
l'assiette (f)	lass-ee-et	plate
l'astronaute (m or f)	lass-tron-oat	astronaut
l'atelier (m)	la-tell-ee-ay	workshop
attendre	a-ta(n)-dr	to wait
attraper	a-trap-ay	to catch
l'autobus (m)	lo-toe-bews	bus
l'automne (m)	lo-tonn	autumn
l'autruche (f)	lo-trewsh	ostrich
avant	ava(n)	front
l'avion (m)	lav-yo(n)	plane
l'aviron (m)	la-vee-ro(n)	oar, rowing
le badge	le(r) baj	**badge**
se bagarrer	se(r) ba-ga-ray	to fight
la baguette magique	la ba-get ma-jeek	magic wand
se baigner	se(r) bayn-yay	bathing
la baignoire	la bay-nwar	bath tub
le balai	le(r) ba-lay	broom
la balance	la bal-a(n)ce	scales
la balançoire	la bal-a(n)-swar	seesaw, swing
balayer	ba-lay-ay	sweeping
la baleine	la ba-len	whale
la balle	la bal	ball
le ballon	le(r) ba-lo(n)	balloon, ball
le ballot de paille	le(r) ba-lo de(r) pie-ye(r)	straw bale
la banane	la ba-nan	banana
le banc	le(r) ba(n)	bench
la barbe à papa	la bar-ba pa-pa	candyfloss
la barrière	la ba-ree-air	gate
bas	ba	low, bottom
le base-ball	le(r) base-ball	base ball
le basket	le(r) bass-ket	basket-ball
le bateau	le(r) ba-toe	boat
le bateau de pêche	le(r) ba-toe de(r) pesh	fishing boat
le bateau à rames	le(r) ba-toe a ram	rowing boat
le bateau à voile	le(r) ba-toe a vwal	sailing boat
les bâtons (m)	lay ba-to(n)	sticks
beaucoup	bo-coo	many
le bébé	le(r) bay-bay	baby
les béquilles (f)	lay bay-kee-ye(r)	crutches
le berger	le(r) bear-jay	shepherd
le beurre	le(r) ber	butter
la bibliothèque	la beeb-lee-o-teck	book case
la bicyclette	la bee-see-clet	bicycle
le bidon à huile	le(r) bee-do(n) aweel	oil can
la bière	la bee-air	beer
les billes	lay bee	marbles
la binette	la bee-net	hoe
le biscuit	le(r) beece-kwee	biscuit
le blaireau	le(r) blay-ro	badger
blanc	bla(n)	white
le blé	le(r) blay	corn
bleu	ble(r)	blue
le bocal	le(r) bo-kal	jar
boire	bwar	to drink
le bois	le(r) bwa	wood
les bois (m)	lay bwa	antlers
la boîte	la bwat	box
la boîte de conserve	la bwat de(r) co(n)-sairv	tin
la boîte à outils	la bwa-ta oo-tee	toolbox
la boîte de peintures	la bwat de(r) pa(n)-tewr	paintbox
le bol	le(r) bol	bowl
bon	bo(n)	nice
le bonbon	le(r) bo(n)-bo(n)	sweet
le bord de la mer	le(r) bor de(r) la mare	seaside
la botte	la bot	boot
la bouche	la boosh	mouth
le boucher	le(r) boosh-ay	butcher
la boucle	la boo-cl	buckle
la boue	la boo	mud
la bouée	la boo-ay	buoy
la bougie	la boo-jee	candle
la bouilloire	la boo-eey-war	kettle
le boulanger	le(r) boo-la(n)-jay	baker
le boulon	le(r) boo-lo(n)	bolt
la bouteille	la boo-tay	bottle
le bouton	le(r) boo-to(n)	button
la boutonnière	la boo-ton-ee-air	buttonhole
la boxe	la box	boxing
le bras	le(r) bra	arm
la brique	la breek	brick
la brosse	la bross	brush
la brosse à dents	la bross a da(n)	toothbrush
la brosse à laver	la bross a la-vay	scrubbing brush
la brouette	la broo-et	wheelbarrow
le brouillard	le(r) broo-ee-ar	fog
la brume	la brewm	mist
le buffle	le(r) bew-fl	buffalo
le buisson	le(r) bwee-so(n)	bush
le bull-dozer	le(r) bool-doe-zair	bulldozer
la bulle de savon	la bewl de(r) sa-vo(n)	soap bubbles
se cacher	se(r) cash-ay	**to hide**
le cadeau	le(r) ca-do	present
le café	le(r) ca-fay	coffee, café
la caisse	la kess	cash desk
le calendrier	le(r) ca-la(n)-dree-ay	calendar
le camion	le(r) ca-mee-o(n)	lorry
le camion-citerne	le(r) ca-mee-on see-tairn	petrol lorry
la camionnette	la ca-mee-on-et	van
la campagne	la ca(n)-pan-ye(r)	country
le canal	le(r) ca-nal	canal
le canard	le(r) ca-nar	duck
le canif	le(r) ca-neef	penknife
la canne à peche	la can-a-pesh	fishing rod
le caneton	le(r) can-to(n)	duckling

le canoë	le(r) ca-no-ay	canoe
le canon	le(r) ca-no(n)	canon
le capot	le(r) ca-po	bonnet (car)
la caravane	la ca-ra-van	caravan
le carnet	le(r) car-nay	notebook
la carotte	la ca-rot	carrot
le carré	le(r) ca-ray	square
les carreaux (m)	lay ca-ro	tiles
la carte	la cart	map
les cartes à jouer	lay cart a joo-ay	playing cards
la cascade	la cass-cad	waterfall
la casquette	la cass-ket	cap
casser	cassay	to break
la casserole	la cass-rol	saucepan
le castor	le(r) cass-tor	beaver
la ceinture	la sa(n)-tewr	belt
le céleri	le(r) sell-ree	celery
le cerceau	le(r) sair-so	hoop
le cercle	le(r) sair-cl	circle
le cerf	le(r) sair	deer
le cerf-volant	le(r) sair vol-a(n)	kite
la cerise	la se(r)-reez	cherry
la chaise	la shayz	chair
le chameau	le(r) sha-mo	camel
le champ	le(r) sha(n)	field
le champignon	le(r) sha(n)-peen-yo(n)	mushroom
le chandail	le(r) sha(n)-die	jumper
chanter	sha(n)-tay	to sing
la chanteuse	la sha(n)-te(r)z	singer
le chapeau	le(r) sha-po	hat
le chapeau de paille	le(r) sha-po de(r) pie	straw hat
le chapeau en papier	le(r) sha-po o(n) pa-pee-ay	paper hat
le chariot	le(r) sha-ree-o	trolley
la charlotte russe	la shar-lot rewce	trifle
le charpentier	le(r) shar-pa(n)-tee-ay	carpenter
la charrette	la sha-ret	cart
la charrue	la sha-rew	plough
le chat	le(r) sha	cat
le château	le(r) sha-toe	castle
le château de sable	le(r) sha-to de(r) sa-bl	sandcastle
le chaton	le sha-to(n)	kitten
chaud	sho	hot
le chauffeur	le(r) sho-fer	driver
la chaumière	la sho-mee-air	cottage
les chaussettes (f)	lay sho-set	socks
les chaussures (f)	lay sho-sewr	shoes
les chaussures de gymnastique (f)	lay sho-sewr de(r) jeem-nass-teek	gym shoes
la chauve-souris	la shoav soo-ree	bat
le chef de train	le(r) shay de(r) tra(n)	guard (train)
le chef d'orchestre	le(r) shay dor-kess-tr	conductor
le chemin	le(r) she(r)-ma(n)	path
la cheminée	la she(r)-mee-nay	chimney
la chemise	la she(r)-meez	shirt
la chemise de nuit	la she(r)-meez de(r) nwee	nightdress
le chemisier	le(r) she(r)-mee-zee-ay	blouse
la chenille	la she(r)-nee-ye(r)	caterpillar
le cheval	le(r) she(r)-val	horse
le cheval à bascule	le(r) she(r)-val a bass-cool	rocking horse
le chevalet	le(r) she-va-lay	easel
le chevalier	le(r) she-va-lee-ay	knight
les cheveux	lay she(r)-ve(r)	hair
la chèvre	la she-vr	goat
le chien	le(r) shee-a(n)	dog
le chien de berger	le(r) shee-a(n) de(r) bear-jay	sheep dog
le chiffon	le(r) shee-fo(n)	duster
le chiot	le(r) shee-o	puppy
le chocolat	le(r) shock-ol-a	chocolate
le chocolat chaud	le(r) shock-ol-a sho	hot chocolate
le chou	le(r) shoo	cabbage
le chou de bruxelles	le(r) shoo de(r) brew-sell	Brussels sprout
le chou-fleur	le(r) shoo fler	cauliflower
la cible	la see-bl	target
le cinéma	le(r) see-nay-ma	cinema
cinq	sa(n)k	five
la cire	la seer	polish
le cirque	le(r) seerk	circus
les ciseaux	lay see-zo	scissors
le citron	le(r) see-tro(n)	lemon
la citrouille	la see-troo-ee-ye(r)	pumpkin
clair	clair	light
la clé	la clay	key
la clef	la clay	spanner
la cloche	la closh	bell
la clôture	la clo-tewr	railings
le clou	le(r) cloo	nail
les clous (m)	lay cloo	zebra crossing
le clown	le(r) cloon	clown
le cochon	le(r) cosh-o(n)	pig
le cochon d'Inde	le(r) cosh-o(n) da(n)d	guinea pig
le coffre	le(r) cof-fr	boot (of car)
les collants	lay coll-a(n)	tights
la colline	la coll-een	hill
commencer	com-a(n)-say	to start
le comprimé	le(r) co(n)-pree-may	pill
la commode	la com-odd	chest of drawers
le concombre	le(r) co(n)-co(n)-br	cucumber
le concours hippique	le(r) co(n)-coor ee-peek	show jumping
la côle	la coll	glue
le cône	le(r) cone	cone
la confiture	la co(n)-fee-tewr	jam
construire	co(n)-stroo-eer	to build
le conte	le(r) co(n)t	story
le contraire	le(r) co(n)-trair	opposite
le contrôleur de billets	le(r) co(n)-tro-ler de(r) bee-ay	ticket collector
les copeaux (m)	lay cop-oe	shavings
le coq	le(r) cock	cock
le coquillage	le(r) cock-ee-aj	sea shell
la corbeille à papier	la cor-bay a pa-pee-ay	wastepaper basket
la corde	la cord	rope
la corde à sauter	la cord a so-tay	skipping rope
la corde raide	la cord red	tightrope
la corne	la corn	horn
la côtelette	la cot-let	chop
le coton hydrophile	le(r) cot-o(n) ee-droff-eel	cotton wool
le cou	le(r) coo	neck
le coude	le(r) cood	elbow
coudre	coo-dr	to sew
la couleur	la coo-ler	colour
couper	coo-pay	chop, cut
courir	coo-rear	to run
la couronne	la coo-ron	crown
le cours d'eau	le(r) coor do	stream
la course de voitures	la coors de(r) vwa-tewr	motor racing
les courses (f) de chevaux	lay coors de(r) she(r)-vo	horse racing
court	coor	short
le cousin	le(r) coo-za(n)	cousin
le coussin	le(r) coo-sa(n)	cushion
le couteau	le(r) coo-to	knife
la couverture	la coo-vair-tewr	blanket
le cowboy	le(r) cow-boy	cowboy
le crabe	le(r) crab	crab
la craie	la cray	chalk
le crapaud	le(r) crap-o	toad
la cravate	la cra-vat	tie
les crayons (m)	lay cray-o(n)	crayons
la crème	la crem	cream
la crêpe	la crep	pancake
creuser	cre(r)-zay	to dig
le cricket	le(r) kree-kay	cricket
le crocodile	le(r) crock-o-deel	crocodile
le croissant	le(r) kwass-a(n)	crescent
le cube	le(r) kewb	cube
la cuillère	la kwee-yair	spoon
la cuisine	la kwee-zeen	kitchen
le cuisinier	le(r) kwee-zeen-yay	cook
la cuisinière	la kwee-zeen-yair	cooker
la culotte	la cew-lot	pants
le cyclisme	le(r) see-cleez-me(r)	cycling
le cygne	le(r) seen-ye(r)	swan or cygnet
la danceuse	la da(n)-se(r)z	**dancer**
la dame	la dam	woman
danser	da(n)-say	to dance

le dauphin	*le(r) doe-fa(n)*	dolphin
dedans	*de(r)-da(n)*	inside
dehors	*de(r)-or*	outside
le déguisement	*le(r) day-geez-ma(n)*	fancy dress
le déjeuner	*le(r) day-je(r)-nay*	lunch
la demoiselle d'honneur	*la de(r)-mwa-zell don-er*	bridesmaid
la dent	*la da(n)*	tooth
le dentiste	*le(r) da(n)-teest*	dentist
le dentifrice	*le da(n)-tee-freece*	toothpaste
dernier	*dare-nee-ay*	last
le derrière	*le(r) dare-ree-air*	behind, bottom
le dés	*le(r) day*	dice
la descente de lit	*la day-sa(n)t de(r) lee*	rug
le désert	*le(r) day-zair*	desert
le dessin	*le(r) day-sa(n)*	drawing
dessous	*de(r)-soo*	under
dessus	*de(r)-sew*	over
deux	*de(r)*	two
devant	*de(r)-va(n)*	in front of
le diable	*le(r) dee-abl*	devil
difficile	*dee-fee-seel*	difficult
la diligence	*la dee-lee-ja(n)ce*	stagecoach
le dindon	*le(r) da(n)-do(n)*	turkey
le dîner	*le(r) dee-nay*	dinner, supper
le dinosaure	*le(r) dee-noss-or*	dinosaur
le disque	*le(r) deesk*	record
dix	*deece*	ten
dix-huit	*deez weet*	eighteen
dix-neuf	*deez-ne(r) f*	nineteen
dix-sept	*deece-set*	seventeen
le docteur	*le(r) dock-ter*	doctor
le doigt	*le(r) dwa*	finger
le doigt de pied	*le(r) dwa de(r) pee-ay*	toe
le dompteur	*le(r) do(n)-ter*	lion tamer
dormir	*dor-meer*	to sleep
le dos	*le(r) doe*	back (of body)
la douche	*la doosh*	shower
douze	*dooz*	twelve
le dragon	*le(r) dra-go(n)*	dragon
le drap	*le(r) dra*	sheet
le drapeau	*le(r) dra-po*	flag
droite	*drwat*	right
dur	*dewr*	hard
l'eau (f)	*lo*	*water*
l'écharpe (f)	*lay-sharp*	scarf
l'échelle (f)	*lay-shell*	ladder
l'échelle de corde (f)	*lay-shell de(r) cord*	rope ladder
l'écluse (f)	*lay-clues*	lock
l'école (f)	*lay-coll*	school
écouter	*ay-coo-tay*	to listen
écrire	*ay-creer*	to write
l'écureuil (m)	*lay-kewr-e(r)-ye(r)*	squirrel
l'écurie (f)	*lay-kew-ree*	stable
l'écuyère	*lay-kwee-yair*	rider
l'écrou (m)	*lay-croo*	nuts and bolts
l'édredon (m)	*lay-dre(r)-do(n)*	eiderdown
l'elfe (m)	*lelf*	elf
l'église (f)	*lay-gleez*	church
l'éléphant (m)	*lay-lay-fa(n)*	elephant
en bas	*a(n) ba*	downstairs
l'enfant (m)	*la(n)-fa(n)*	child
en haut	*a(n)-o*	upstairs
l'entrée (f)	*la(n)-tray*	hall
l'épaule (f)	*lay-pole*	shoulder
l'épée (f)	*lay-pay*	sword
l'épicerie (f)	*lay-piece-e(r)-ree*	grocery shop
les épinards	*lay-zay-pee-nar*	spinach
l'éponge (f)	*lay-ponj*	sponge
l'épouvantail (m)	*lay-poo-va(n)-tie*	scarecrow
l'équitation (f)	*lay-kee-ta-see-o(n)*	riding
l'escalier (m)	*less-ca-lee-ay*	stairs
l'escargot (m)	*less-car-go*	snail
l'étable (f)	*lay-ta-bl cowshed*	cowshed
l'établi (m)	*lay-tab-lee*	work bench
l'étagère (f)	*lay-ta-jair*	shelf
l'étau (m)	*lay-toe*	vice
l'été (m)	*lay-tay*	summer
l'étoile (f)	*lay-twal*	star
l'étoile de mer (f)	*lay-twal de(r) mare*	star fish
être assis	*et-re(r) ass-ee*	to sit
être debout	*et-re(r) de(r)-boo*	to stand
l'évier (m)	*lay-vee-ay*	sink
facile	*fa-seel*	**easy**
le facteur	*le(r) fack-ter*	postman
la faim	*la fam*	hunger
faire	*fair*	to do or make
faire des bulles	*fair day bewl*	to blow
faire la cuisine	*fair la kwee-zeen*	to cook
la falaise	*la fa-lays*	cliff
la famille	*la fa-mee-ye(r)*	family
le fantôme	*le(r) fa(n)-tome*	ghost
la farine	*la fa-reen*	flour
le fauteuil	*le(r) fo-te(r)-ye(r)*	armchair
le fauteuil roulant	*le(r) fo-te(r)-ye(r) roo-la(n)*	wheel chair
la fée	*la fay*	fairy
la femme	*la fam*	woman, wife
la fenêtre	*la fe-ne-tr*	window
le fer à repasser	*le(r) fair a re(r)-pa-say*	iron
la ferme	*la fairm*	farm
fermé	*fair-may*	closed
la fermeture éclair	*la fair-me(r)-tewr ay-clair*	zip
le fermier	*le(r) fair-mee-ay*	farmer
la fête	*la fayt*	party
le feu	*le(r) fe(r)*	fire
le feu de joie	*le(r) fe(r) de(r) jwa*	bonfire
la feuille	*la fe(r) ye(r)*	leaf
la feuille de température	*la fe(r)-ye(r) de(r) ta(n)-pay-ra-tewr*	chart
les feux (m) d'artifice	*lay fe(r) dar-tee-feece*	fireworks
les feux de signalisation	*lay fe(r) de(r) see-nya-lec-za-syo (n)*	signals
les feux rouges (m)	*lay fe(r) rooj*	traffic lights
la ficelle	*la fee-sell*	string
la figure	*la fee-gewr*	face
le filet	*le(r) fee-lay*	net
la fille	*la fee-ye(r)*	girl, daughter
le fils	*le(r) feece*	son
la flaque	*la flack*	puddle
la flèche	*la flesh*	arrow
les fléchettes	*lay flesh-et*	darts
la fleur	*la fler*	flower
le foin	*le(r) fwa(n)*	hay
la foire	*la fwar*	fairground
le football	*le(r) foot bol*	football
la forêt	*la for-ray*	forest
la forme	*la form*	shape
le fort	*le(r) for*	fort
la foudre	*la foo-dr*	lightning
le fouet	*le(r) foo-ay*	whip
la fourche	*la foorsh*	fork (big)
la fourchette	*la-foor-shet*	fork
la fourmi	*la foor-mee*	ant
la fraise	*la frayz*	strawberry
la framboise	*la fra(n)-bwaz*	raspberry
le frère	*le(r) frair*	brother
le frigidaire	*le(r) free-jee-dare*	refrigerator
froid	*frwa*	cold
le fromage	*le(r) from-aj*	cheese
le fruit	*le(r) froo-ee*	fruit
la fumée	*la few-may*	smoke
la fusée	*la few-zay*	rocket
le fusil	*le(r) few-zee*	gun
gagner	*gan-yay*	**to win**
le galet	*le(r) ga-lay*	pebble
le gant	*le(r) ga(n)*	glove
le garage	*le(r) ga-raj*	garage
le garçon	*le(r) gar-so(n)*	boy
le gardien de zoo	*le(r) gar-dee-a(n) de(r) zo*	zoo keeper
la gare	*la gar*	railway station
le gâteau	*le(r) ga-toe*	cake
le gâteau à la crème	*le(r) ga-toe a la crem*	cream cake
gauche	*goash*	left
le géant	*le(r) jay-a(n)*	giant

le gel	le(r) jell	frost
la gelée	la je(r) lay	jelly
le gendarme	le(r) ja(n)-darm	policeman
le genou	le(r) je(r)-noo	knee
les gens (m)	lay ja(n)	people
le gilet	le(r) jee-lay	cardigan
la giraffe	la jee-raff	giraffe
la glace	la glass	ice cream
la gomme	la gomm	rubber
le gorille	le(r) gor-ee-ye(r)	gorilla
le goûter d'enfants	le(r) goo-tay da(n)-fa(n)	party
la gouttière	la goo-tee-air	gutter
la graine	la grain	seed
grand	gra(n)	big
la grande roue	la gra(n)d roo	big wheel
la grand-mère	la gra(n) mare	grandmother
le grand-père	le(r) gra(n) pair	grandfather
la grange	la gra(n)j	barn
le grenier	le(r) gre(r)-nee-ay	attic or loft
la grenouille	la gre(r)-noo-ee-ye(r)	frog
grimper	gra(n)-pay	to climb
gris	gree	grey
gros	gro	fat
la grue	la grew	crane
la guêpe	la gep	wasp
la guirlande de papier	la gear-la(n)d de(r) pa-pee-ay	paperchain
la guitare	la gee-tar	guitar
la gymnastique	la jeem-nass-teek	gymnastics
la hache	la ash	**axe**
la haie	la ay	hedge
les haltères (f)	lay al-tair	weight lifting
les haricots (m)	lay a-ree-co	beans
le harmonica	le(r) ar-mon-ee-ka	mouth organ
le haut	le(r) o	top
le hélicoptère	le(r) ay-lee-cop-tair	helicopter
l'herbe (f)	lairb	grass
le hérisson	le(r) ay-ree-so(n)	hedgehog
le hibou	le(r) ee-boo	owl
le hippopotame	le(r) ee-pop-ot-am	hippopotamus
l'hiver (m)	lee-vair	winter
l'homme (m)	lom	man
l'homme-grenouille (m)	lom gre(r)-noo-ee-ye(r)	frogman
l'hôpital (m)	lop-ee-tal	hospital
l'hors-bord (m)	lor bor	speedboat
l'hôtel (m)	lo-tell	hotel
l'hôtesse de l'air (f)	lo-tess de(r) lair	air hostess
l'huile (f)	lweel	oil
huit	weet	eight
la hutte	la ewt	hut
l'île (f)	leel	**island**
l'illustré (m)	lee-loo-stray	comic
l'image (f)	lee-maj	picture
l'imperméable (m)	la(n)-pair-may-a-bl	raincoat
l'Indien (m)	la(n)-dee-a(n)	Indian
l'infirmière (f)	la(n)-fair-mee-air	nurse
l'insecte (m)	la(n)-sect	insect
l'institutrice (f)	la(n)-stee-tew-treece	school teacher
l'interrupteur (m)	la(n)-tair-rewp-ter	switch (electric)
la jambe	la ja(n)b	**leg**
le jambon	le(r) ja(n)-bo(n)	ham
le jardin	le(r) jar-da(n)	garden
le jardin public	le(r) jar-da(n) poo-bleek	park
jaune	jone	yellow
les jeans (m)	lay jeans	jeans
jeter	je(r)-tay	to throw
les jeux (m)	lay je(r)	games
le jongleur	le(r) jo(n)-gler	juggler
la joue	la joo	cheek
jouer	joo-ay	to play
le jouet	le(r) joo-ay	toy
le journal	le(r) joor-nal	newspaper
le journal illustré	le(r) joor-nal ee-loo-stray	magazine
le judo	le(r) jew-doe	judo
le juge	le(r) jewj	judge
la jupe	la jewp	skirt
le jus de fruit	le(r) jew de(r) froo-ee	fruit juice
le kangourou	le(r) ca(n)-goo-roo	**kangaroo**
le lac	le(r) lack	**lake**
le lacet	le(r) la-say	shoe lace
la laine	la layn	wool
la laisse	la lace	dog lead
le lait	le(r) lay	milk
la laitue	la lay-tew	lettuce
la lampe	la la(n) p	lamp
le lampion	le(r) la(n)-pee-o(n)	lantern
la langue	la la(n)g	tongue
le lapin	le(r) la-pa(n)	rabbit
le lavabo	le(r) la-va-bo	wash basin
laver	la-vay	to wash
se laver les dents	se(r) la-vay lay da(n)	to clean teeth
le lave-voiture	le(r) lav-wa-tewr	car wash
la légende	la lay-ja(n)d	legend or story
le légume	le(r) lay-gewm	vegetable
lent	la(n)	slow
le léopard	le(r) lay-op-ar	leopard
la lettre	la let-tr	letter
les lèvres (f)	lay le-vr	lips
le lézard	le(r) lay-zar	lizard
la lime	la leem	file
le lion	le(r) lee-o(n)	lion
le lionceau	le(r) lee-o(n)-so	lion cub
lire	leer	to read
le lit	le(r) lee	bed
le livre	le(r) lee-vr	book
la locomotive	la lock-om-ot-eev	engine
loin	lwa(n)	far
long	lo(n)	long
le losange	le(r) loz-a(n)j	diamond shape
le loup	le(r) loo	wolf
lumineux	lew-mee-ne(r)	light
la lune	la lewn	moon
la lutte	la lewt	wrestling
la machine à ecrire	la ma-sheen a ay-creer	**typewriter**
la machine à laver	la ma-sheen a la-vay	washing machine
le magasin	le(r) ma-ga-za(n)	shop
le magasin de jouets	le(r) ma-ga-za(n) de(r) joo-ay	toy shop
le magicien	le(r) ma-jee-see-a(n)	magician
maigre	may-gr	thin
le maillot de bain	le(r) my-o de(r) ba(n)	swimsuit
la main	la ma(n)	hand
la maison	la may-zo(n)	house
la maison de poupée	la may-zo(n) de(r) poo-pay	dolls' house
la manche à balai	la ma(n)-sha ba-lay	broomstick
le manège	le(r) ma-nej	roundabout
manger	ma(n)-jay	to eat
le manteau	le(r) ma(n)-toe	coat
la mappemonde	la map-e(r) mo(n)d	globe
le marchand	le(r) mar-sha(n)	shopkeeper
le marché	le(r) mar-shay	market
marcher	mar-shay	to walk
les marches (f)	lay marsh	steps
la mare	la mar	pond
le mari	le(r) ma-ree	husband
le mariage	le(r) ma-ree-aj	wedding
le marié	le(r) ma-ree-ay	bridegroom
la mariée	la ma-ree-ay	bride
le marin	le(r) mar-ra(n)	sailor
la marionnette	la ma-ree-on-et	puppet
marron	ma-ro(n)	brown
le marteau	le(r) mar-toe	hammer
le masque	le(r) mask	mask
mauvais	mo-vay	bad
le mécanicien	le(r) may-ca-nee-see-a(n)	train driver, mechan
le médicament	le(r) may-dee-ca-ma(n)	medicine
le melon	le(r) me(r)-lo(n)	melon
le menton	le(r) ma(n)-to(n)	chin
le menuisier	le(r) me(r)-nwee-zee-ay	carpenter

la mer	la mare	sea
la mère	la mare	mother
le mètre	le(r) met-tr	tape measure
la meule de foin	la me(r)l de(r) fwa(n)	haystack
le miel	le(r) myel	honey
le miroir	le(r) meer-war	mirror
la mite	la meet	moth
moitié	mwa-tee-ay	half
le monocycliste	le(r) mon-oss-ee-cleest	trick cyclist
le monsieur	le(r) me(r)-syur	man
Monsieur Loyal	me(r)-syur loy-al	ring master
le monstre	le(r) mo(n)-str	monster
la montagne	la mo(n)-tan-ye(r)	mountain
les montagnes russes (f)	lay mo(n)-tan ye(r) rewce	big dipper
la montre	la mo(n)-tr	watch
montrer	mo(n)-tray	to show
mort	mor	dead
le mot	le(r) mo	word
le moteur	le(r) mo-ter	engine
la moto	la mo-toe	motor cycle
le moto-cross	le(r) mo-toe-cross	speedway racing
mou	moo	soft
la mouche	la moosh	fly
le mouchoir	le(r) moosh-war	handkerchief
la mouette	la moo-et	seagull
mouillé	mwee-ay	wet
le moulin à vent	le(r) moo-la(n) a va(n)	windmill
le mouton	le(r) moo-to(n)	sheep
le mur	le(r) mewr	wall
le nain	le(r) na(n)	**dwarf**
la nappe	la nap	table cloth
la natation	la na-tass-ee-o(n)	swimming
le navire	le(r) na-veer	ship
la neige	la nej	snow
neuf	ne(r)f	nine/new
le nez	le(r) nay	nose
le nid	le(r) nee	nest
Noël	no-el	Christmas
noir	nwar	black
la noix	la nwa	nut
le nombre	le(r) no(n)-br	number
la nourriture	la noo-ree-tewr	food
la nuage	la new-aj	cloud
l'oeil (m)	le(r)-ye(r)	**eye**
l'oeil (m) au beurre noir	le(r) yo ber nwar	black eye
l'oeuf (m)	le(r)f	egg
l'oeuf sur le plat	le(r)f sewr le(r) pla	fried egg
l'oie (f)	lwa	goose
l'oignon (m)	lo(n)-yo(n)	onion
l'oiseau (m)	lwa-zo	bird
l'oison (m)	lwa-zo(n)	gosling
l'omelette (f)	lom-e(r)-let	omelette
l'oncle (m)	lo(n)-cl	uncle
onze	o(n)z	eleven
les opérations (f)	lay-zop-ay-ra-see-o(n)	sums
l'orange (f)	lor-a(n)j	orange
orangé	or-a(n)-jay	orange
l'orchestre (m)	lor-kess-tr	orchestra
les ordures (f)	lay-zor-dewr	rubbish
l'oreille (f)	lor-ay	ear
l'oreiller (m)	lor-ay-ay	pillow
l'os (m)	loss	bone
l'ours (m)	loorce	bear
l'ours blanc (m)	loorce bla(n)	polar bear
l'ours en peluche (m)	loorce a(n) pe(r)-lewsh	teddy bear
ouvert	oo-vair	open
l'ovale	lo-val	oval
la pagaie	la pa-gay	**paddle**
le page	le(r) paj	pageboy
le paillasson	le(r) pie-yass-o(n)	mat
la paille	la pie-ye(r)	straw
le pain	le(r) pa(n)	bread
le palais	le(r) pa-lay	palace
la palissade	la pa-leece-ad	fence
les palmes (f)	lay palm	flippers
le pamplemousse	le(r) pa(n)-ple(r)-mooce	grapefruit
le panda	le(r) pa(n)-da	panda
le panier	le(r) pa-nee-ay	basket
le pansement	le(r) pa(n)ce-ma(n)	bandage
le pantalon	le(r) pa(n)-ta-lo(n)	trousers
les pantoufles (f)	lay pa(n)-too-fl	slippers
le papier	le(r) pa-pee-ay	paper
le papier de verre	le(r) pa-pee-ay de(r) vair	sandpaper
le papier peint	le(r) pa-pee-ay pa(n)	wallpaper
le papillon	le(r) pa-pee-yo(n)	butterfly
le papillon de nuit	le(r) pa-pee-yo(n) de(r) noo-ee	moth
le paquet	le(r) pa-kay	parcel
le paquet de lessive	le(r) pa-kay de(r) less-eev	washing powder
le parachute	le(r) pa-ra-shewt	parachute
le parasol	le(r) pa-ra-sol	sun shade
le pare-feu	le(r) par fe(r)	fireguard
les pastels (m)	lay pa-stel	crayons
la pâte à modeler	la pat-a mod-lay	clay
le patinage	le(r) pa-tee-naj	skating
les patins (m) à roulettes	lay pa-ta(n) a roo-let	roller skates
la patte	la pat	paw
pauvre	po-vr	poor
la pêche	la pesh	peach
le pêcheur	le(r) pesh-er	fisherman
le peigne	la payn-ye(r)	comb
peindre	pa(n)-dr	to paint
le peintre	le(r) pa(n)-tr	painter
la peinture	la pa(n) tewr	paint
le pélican	le(r) pay-lee-ca(n)	pelican
la pelle	la pell	spade
la pelle à poussière	la pell-a poo-see-air	dustpan
la pendule	la pa(n)-dewl	clock
la péniche	la pay-neesh	barge
penser	pa(n)-say	to think
la perceuse	la pair-se(r)z	drill
la perche	la pairsh	pole
le père	le(r) pair	father
Père Noël (m)	pair no-el	Father Christmas
la perle	la pairl	bead
le perroquet	le(r) pay-rock-ay	parrot
la perruche	la pay-rewsh	budgerigar
petit	pe(r)-tee	small
le petit déjeuner	le(r) pe(r)-tee day-je(r)-nay	breakfast
la petite cuillère	la pe(r)-teet kwee-yair	teaspoon
le petit pain	le(r) pe(r)-tee pa(n)	bun or roll
les petits pois (m)	lay pe(r)-tee pwa	peas
le petit singe	le(r) pe(r)-tee sa(n)j	monkey
le pétrolier	le(r) pay-troll-ee-ay	oil tanker
peu	pe(r)	few
le phare	le(r) far	lighthouse, headlight
le phoque	le(r) fock	seal
la photographie	la fot-og-ra-fee	photograph
le piano	le(r) pee-a-no	piano
le pied	le(r) pee-ay	foot
la pierre	la pee-air	stone
le pigeon	le(r) pee-jo(n)	pigeon
le pilote	le(r) pee-lot	pilot
le pilote de course	le(r) pee-lot de(r) course	racing driver
le pinceau	le(r) pa(n)-so	paintbrush
le ping-pong	le(r) ping pong	table tennis
le pingouin	le(r) pa(n)-gwa(n)	penguin
le pipeau	le(r) pee-po	recorder
le pique-nique	le(r) peek-neek	picnic
le pirate	le(r) pee-rat	pirate
la piste d'atterrissage	la peest da-te-ree-saj	runway
le pistolet	le(r) pee-stoll-ay	pistol
le placard	le(r) pla-car	cupboard
le placard personnel	le(r) pla-car pair-son-el	locker
le plafond	le(r) pla-fo(n)	ceiling
la planche	la pla(n)sh	plank
la planche à repasser	la pla(n)-sha re(r)-pa-say	ironing board
le plancher	le(r) pla(n)-shay	floor
la plante	la pla(n)t	plant
le plateau	le(r) pla-toe	tray
la platebande	la plat ba(n)d	flowerbed
le plâtre	le pla-tr	plaster

plein	pla(n)	full
pleurer	pler-ay	to cry
la pluie	la plwee	rain
la plume	la plewm	feather
le pneu	le(r) pne(r)	tyre
la poche	la posh	pocket
la poêle	la pwal	frying pan
les poids et haltères	lay pwa ay al-tair	weightlifting
la poignée	la pwan-yay	door handle
le poireau	le(r) pwa-ro	leek
le poisson	le(r) pwa-so(n)	fish
le poisson rouge	le(r) pwa-so(n) rooj	goldfish
la poitrine	la pwa-treen	chest
le poivre	le(r) pwa-vr	pepper
la pomme	la pomm	apple
la pomme de terre	la pomm de(r) tair	potato
la pompe à air	la po(n)-pa air	air pump
la pompe à essence	la po(n)-pa ess-a(n)ce	petrol pump
le pompier	le(r) po(n)-pee-ay	fireman
le poney	le(r) po-nay	pony
le pont	le(r) po(n)	bridge
le popcorn	le(r) pop corn	popcorn
le porcelet	le(r) por-slay	piglet
la porcherie	la por-shree	pig sty
le port	le(r) por	port or harbour
la porte	la port	door
le porte-manteau	le(r) port ma(n)-toe	peg
le porte-monnaie	le(r) port mon-ay	purse
le porte-plume	le(r) port plewm	pen
porter	por-tay	to carry
le portier	le(r) por-tee-ay	porter
le poster	le(r) poss-ter	poster
le poteau indicateur	le(r) pot-o a(n)-dee-ca-ter	signpost
les pots (m)	lay po	jars
les pots (m) de peinture	lay po de(r) pa(n)-tewr	paint pots
la poubelle	la poo-bell	dustbin
le pouce	le(r) pooce	thumb
le pouding	le(r) poo-ding	pudding
le poulailler	le(r) poo-lie-yay	henhouse
la poule	la pool	hen
le poulet	le(r) poo-lay	chicken
la poupée	la poo-pay	doll
pousser	poo-say	to push
la poussette	la poo-set	pushchair
le poussin	le(r) poo-sa(n)	chick
premier	pre(r)-mee-ay	first
prendre	pra(n)-dr	to take
prendre un bain	pra(n)-dra(n) ba(n)	to take a bath
près	pray	near
le prestidigitateur	le(r) press-tee-dee-jee-ta-ter	conjurer
le prince	le(r) pra(n)ce	prince
la princesse	la pra(n)-sess	princess
le printemps	le(r) pra(n)-ta(n)	Spring
la prison	la pree-zo(n)	prison
propre	prop-re(r)	clean
la prune	la prewn	plum
le puits	le(r) pwee	well
le puits magique	le(r) pwee ma-jeek	wishing well
la punaise	la pew-nays	drawing pin
le pupitre	le(r) pew-pee-tr	desk
le puzzle	le(r) pew-zl	jigsaw
le pyjama	le(r) pee-ja-ma	pyjamas
le quai	le(r) kay	**platform**
quatorze	ka-torz	fourteen
quatre	ka-tr	four
la queue	la ke(r)	tail
quinze	ka(n)z	fifteen
le rabot	le(r) ra-bo	**plane (tool)**
raconter	ra-co(n)-tay	to tell
le radiateur	le(r) ra-dee-a-ter	radiator
la radio	la ra-dee-o	radio
le ragoût	le(r) ra-goo	stew
les rails	lay rye	railway line
le raisin	le(r) ray-sa(n)	grape
ramasser	ra-ma-say	to pick up
la rame	la ram	oar
ramper	ra(n)-pay	to crawl
rapide	ra-peed	fast
la raquette	la ra-ket	bat
le râteau	le(r) ra-toe	rake
regarder	re(r)-gar-day	to look or watch
la règle	la ray-gl	ruler
la reine	la ren	queen
la remorque	la re(r)-mork	trailer
le renard	le(r) re(r)-nar	fox
le renardeau	le(r) re(r)-nar-doe	fox cub
le renne	le(r) ren	reindeer
le requin	le(r) re(r)-ca(n)	shark
le réverbère	le(r) ray-vair-bear	street lamp
le rhinocéros	le(r) ree-noss-ay-ros	rhinoceros
le rideau	le(r) ree-doe	curtain
rire	rear	to laugh
la rivière	la ree-vee-air	river
le riz	le(r) ree	rice
la robe	la rob	dress
la robe de chambre	la rob de(r) sha(n)-br	dressing gown
le robinet	le(r) rob-ee-nay	tap
le robot	le(r) rob-o	robot
le rocher	le(r) rosh-ay	rock
le roi	le(r) rwa	king
le rondin	le(r) ro(n)-da(n)	log
rose	rose	pink
la rosée	la ro-zay	dew
la roue	la roo	wheel
rouge	rooj	red
le rouleau compresseur	le(r) roo-lo co(n)-press-er	steamroller
la route	la root	road
le ruban	le(r) rew-ba(n)	ribbon
la ruche	la rewsh	beehive
la rue	la rew	street
le sable	le sa-bl	**sand**
le sac	le(r) sack	bag
le sac à main	le(r) sa-ca ma(n)	handbag
sage	saj	good (child)
la saison	la say-zo(n)	season
la salade	la sa-lad	salad
sale	sal	dirty
la sandale	la sa(n)-dal	sandal
le sandwich	le(r) sa(n)d weetsh	sandwich
la sauce tomate	la soss tom-at	tomato sauce
la saucisse	la soss-eece	sausage
le saut d'obstacles	le(r) so-dob-sta-cl	horse jumping
le saut en hauteur	le(r) so a(n) o-ter	high jump
sauter	so-tay	to jump
sauter à la corde	so-tay a la cord	to skip
savoir	sa-vwar	to know
le savon	le(r) sa-vo(n)	soap
le scaphandrier	le(r) ska-fa(n)-dree-ay	deep sea diver
la scie	la see	saw
la sciure	la see-ewr	sawdust
le seau	le(r) so	bucket
sec	seck	dry
seize	sez	sixteen
le sel	le(r) sell	salt
la selle	la sell	saddle
sept	set	seven
la seringue	la se(r)-ra(n)g	syringe
le serpent	le(r) sair-pa(n)	snake
la serpillière	la sair-pee-air	mop
la serre	la sair	greenhouse
la serrure	la say-rewr	lock
la serviette	la sair-vee-et	towel
la serviette de table	la sair-vee-et de(r) ta-bl	table napkin
le shérif	le(r) shay-reef	sheriff
le short	le(r) short	shorts
le sifflet	le(r) see-flay	whistle
le singe	le(r) sa(n)j	monkey
six	seece	six
le ski	le(r) skee	skiing

le ski nautique	le(r) skee no-teek	water skiing
la soeur	la ser	sister
la soie	la swa	silk
le soir	le(r) swar	evening
le sol	le(r) sol	ground
le soldat	le(r) sol-da	soldier
le soldat de plomb	le(r) sol-da de(r) plo(n)	tin soldier
le soleil	le(r) sol-ay	sun
sombre	so(n)-br	dark
le sorcier	le(r) sor-see-aý	wizard
la sorcière	la sor-see-air	witch
la soucoupe	la soo-coop	saucer
la soupe	la soop	soup
le sourcil	le(r) soor-see	eyebrow
sourire	soo-rear	to smile
la souris	la soo-ree	mouse
sous	soo	under
le sous-marin	le(r) soo ma-ra(n)	submarine
le sous-vêtement	le(r) soo-vet-ma(n)	vest
les spaghetti	lay spa-get-tee	spaghetti
le sport	le(r) spor	sport
la statue	la sta-tew	statue
le store	lè(r) stor	blind (window)
le sucre	le(r) soo-cr	sugar
sur	sewr	over
la table	la ta-bl	**table**
le tableau	le(r) tab-lo	picture
le tableau noir	le(r) tab-lo nwar	blackboard
la table de nuit	la ta-bl de(r) nwee	bedside table
la table roulante	la ta-bl roo-la(n)t	trolley
le tablier	le(r) tab-lee-ay	apron
le tabouret	le(r) ta-boo-ray	stool
le talon	le(r) ta-lo(n)	heel
le tambour	le(r) ta(n)-boor	drum
le tampon	le(r) ta(n)-po(n)	buffer
le tank	le(r) ta(n)k	tank
la tante	la ta(n)t	aunt
le tapis	le(r) ta-pee	carpet
la tasse	la tass	cup
la taupe	la tope	mole
le taureau	le(r) toe-ro	bull
le taxi	le(r) tack-see	taxi
le teeshirt	le(r) tee-shirt	teeshirt
la téléphone	la tay-lay-fon	telephone
la télévision	la tay-lay-vee-żee-o(n)	television
tendre	ton-dr	to cut grass
le tennis	le(r) ten-eece	tennis
la tente	la ta(n)t	tent
le temps	le(r) ta(n)	weather or time
le terrain de jeux	le(r) tay-ra(n) de(r) je(r)	playground
la terre	la tair	earth
le têtard	la tet-ar	tadpole
la tête	la tet	head
le thé	le(r) tay	tea
le thermomètre	le(r) tair-mom-ay-tr	thermometer
le tigre	le(r) tee-gr	tiger
le tir	le(r) teer	shooting
le tir à la carabine	le(r) teer-a la ca-ra-been	rifle range
la tirelire	la teer leer	money box
tirer	tee-ray	to pull
le tiroir	le(r) teer-war	drawer
le toboggan	le(r) tob-og-a(n)	toboggan
le toboggan géant	le(r) tob-og-a(n) jay-a(n)	helter skelter
la toile d'araignée	la twal da-rayn-yay	cobweb
la toilette	la twal-et	toilet
le toit	le(r) twa	roof
la tomate	la tom-at	tomato
tomber	to(n)-bay	to fall
la tondeuse	la to(n)-de(r)z	lawn mower
tondre	ta(n)-dr	to move
le tonneau	le(r) tonn-o	barrel
la tortue	la tor-tew	tortoise
la tour	la tour	tower
la tour de contrôle	la tour de(r) co(n)-trol	control tower
le tourne-disques	le(r) tour-ne(r) deesk	record player
le tourne-vis	le(r) tour ne(r) veece	screwdriver
tout	too	whole
le tracteur	le(r) track-ter	tractor
le train	le(r) tra(n)	train
le train de marchandises	le(r) tra(n) de mar-sha(n)-deez	goods train
le traineau	le(r) tray-no	sleigh
le train électrique	le(r) tra(n) ay-lek-treek	train set
le train fantôme	le(r) tra(n) fa(n)-tome	ghost train
le transat	le(r) tra(n)-sa	deckchair
le trapèze	le(r) tra-pays	trapeze
travailler	tra-vie-yay	to work
treize	trez	thirteen
le trésor	le(r) tray-zor	treasure
le triangle	le(r) tree-a(n)-gl	triangle
le tricot	le(r) tree-co	jumper
tricoter	tree-cot-ay	to knit
trois	trwa	three
la trompe	la tro(n)p	trunk
la trompette	la tro(n)-pet	trumpet
la trottinette	la trot-ee-net	scooter
le trottoir	le(r) trot-war	pavement
le trou	le(r) troo	hole
la trousse à outils	la troo-sa oo-tee	tool set
la truelle	la trew-el	trowel
le tunnel	le(r) tew-nell	tunnel
le tuyau	le(r) twee-yo	pipe
le tuyau d'arrosage	le(r) twee-yo da-ross-aj	hose
un	a(n)	**one**
l'usine (f)	lew-zeen	factory
la vache	la vash	**cow**
la vague	la vag	wave
la valise	la va-leez	suitcase
le veau	le(r) vo	calf
vendre	va(n)-dr	to sell
le vent	le(r) va(n)	wind
le ventre	le(r) va(n)-tr	tummy
le ver à soie	le(r) vair a swa	silkworm
le ver de terre	le(r) vair de(r) tair	worm
le verger	le(r) vair-jay	orchard
le verre	le(r) vair	glass
vert	vair	green
la veste	la vest	jacket
les vêtements (m)	lay vet-ma(n)	clothes
la viande	la vee-a(n)d	meat
vide	veed	empty
vieux	vee-ye(r)	old
vilain	vee-la(n)	naughty (child)
le vilebrequin	le(r) veel-bre(r)-ca(n)	drill
le village	le(r) vee-laj	village
le vin	le(r) va(n)	wine
vingt	va(n)	twenty
violet	vee-oll-ay	purple
la vis	la veece	screw
vivant	vee-va(n)	alive
le voeu	le(r) ve(r)	wish
la voile	la vwal	sailing
la voiture	la vwa-tewr	car
la voiture de course	la vwa-tewr de(r) course	racing car
la voiture de dépannage	la vwa-tewr de(r) day-pa-naj	breakdown lorry
la voiture d'enfant	la vwa-tewr da(n)-fa(n)	pram
la voiture de police	la vwa-tewr de(r) pleece	police car
la voiture de pompiers	la vwa-tewr de(r) pomp-ee-ay	fire engine
les voitures tamponneuses	lay vwa-tewr ta(n)-pon-e(r)z	dodgem cars
le volant	le(r) voll-a(n)	steering wheel
le voleur	le(r) vo-ler	robber
le wagon	le(r) va-go(n)	**carriage (train)**
le wagon-restaurant	le(r) va-go(n) res-or-a(n)	buffet car
le yaourt	le(r) ya-oort	**yoghurt**
les yeux	layz-ye(r)	eyes
le zèbre	le(r) zay-br	**zebra**
le zoo	le(r) zo	zoo